Para Jan, Trisha e Max.

Título original em inglês: *Famous Children Bach*
Tradução autorizada por Aladdin Books Ltd

Coordenação editorial: Miriam Gabbai
Tradução e adaptação do original: Helena B. Gomes Klimes
Revisão: Ricardo N. Barreiros
Escaneamento e tratamento das imagens: Márcio Uva
Diagramação: Carlos Magno

2ª edição, 2010
5ª reimpressão, 2024

CIP-BRASIL. CATALOGAÇÃO-NA-FONTE
SINDICATO NACIONAL DOS EDITORES DE LIVROS, RJ

R118b
2.ed.

Rachlin, Ann, 1933-

Bach / Ann Rachlin e [ilustração] Susan Hellard ; [tradução e adaptação do original Helena B. Gomes Klimes]. – 2.ed. – São Paulo : Callis, 2010.
il. color. (Crianças famosas)

Tradução de: *Famous children Bach*
ISBN 978-85-7416-447-2

1. Bach, Johann Sebastian, 1685-1750 - Infância e juventude - Literatura infantojuvenil. 2. Compositores - Alemanha - Biografia - Literatura infantojuvenil. 3. Literatura infantojuvenil inglesa. I. Hellard, Susan. II. Klimes, Helena B. Gomes (Helena Botelho Gomes) III. Título. IV. Série.

10-5808. CDD: 927.8168
CDU: 929:78.071.1
10.11.10 24.11.10 022805

Índices para catálogo sistemático
1. Literatura infantil 028.5
2. Músicos: Literatura infantojuvenil 028.5

ISBN: 978-85-7416-447-2

Impresso no Brasil

2024
Callis Editora Ltda.
Rua Oscar Freire, 379, 6º andar • 01426-001 • São Paulo • SP
Tel.: (11) 3068-5600 • Fax: (11) 3088-3133
www.callis.com.br • vendas@callis.com.br

Crianças Famosas

BACH

Ann Rachlin e Susan Hellard

Tradução:
Helena B.
Gomes Klimes

callis

Quando os pais de Johann Sebastian Bach morreram, ele estava para completar dez anos. Seu irmão mais velho, Christoph, acolheu-o e cuidou muito bem dele. Levava-o para a escola todos os dias e, quando Johann Sebastian chegava em casa, dava-lhe uma aula de cravo. A casa estava sempre cheia de música, e Johann Sebastian adorava isso mais do que qualquer coisa.

Christoph era compositor e tocava órgão em Ohrdruf, a cidade onde moravam. Mas ele era tão severo que só permitia que Johann Sebastian estudasse cravo uma hora por dia. O pequeno Johann odiava ouvir o irmão quando este lhe dizia:

— Agora vá, Johann, é o suficiente por hoje. Vá fazer sua lição de casa!

— Isso é chato, muito chato — resmungava Johann Sebastian quando tinha de abandonar o instrumento.

Todos os dias, quando Johann Sebastian saía da sala de música, olhava para as partituras de Christoph, que ficavam guardadas em um armário alto, sempre muito bem trancado, e com uma imensa grade cobrindo suas prateleiras. Através da grade, Johann podia ver um livro muito especial. Puxa! Como ele gostaria de tê-lo nas mãos!

Johann Sebastian sabia que aquele livro estava cheio de novas músicas. Aquelas que Christoph lhe dava para tocar eram fáceis, e ele já havia decorado todas! Ele implorava a Christoph por uma música nova, mas a resposta era sempre a mesma.

Não era justo. Ele seria muito cuidadoso com aquele livro. Por que Christoph se preocupava tanto?

— Oh, por favor, Christoph. Não diga não! Eu não vou estragá-lo! Prometo!

O rosto do pequeno Johann se entristecia enquanto o irmão mais velho sacudia negativamente a cabeça.

— Não, você ainda não tem idade! E eu não quero os seus dedos melados no meu melhor livro de música!

Era tarde. Johann Sebastian já havia se deitado, mas não conseguia dormir. Aquele livro de música não saía de seus pensamentos. Ouviu Christoph ir para seu quarto. Logo a casa estava escura e silenciosa. Aflito, sentou-se na cama.

"Talvez eu possa apenas dar uma olhada naquele livro", pensou. E, na ponta dos pés, foi até a porta do quarto.

Tremendo de frio, Johann abriu lentamente a porta e foi até o corredor.

Ele podia ouvir os roncos de seu irmão, que já dormia profundamente.

Cruzou o corredor lentamente, e agora tinha de descer a escada.

Apoiado no corrimão, ele desceu em silêncio, sem fazer nenhum barulho, degrau por degrau. Quando chegou ao fim, seu coração batia forte e aceleradamente.

Sorrateiro, ele foi em direção à sala de música. A porta estava fechada e a maçaneta escorregou na sua mão suada. Enxugou a mão na camisola e conseguiu abrir a porta.

As cortinas estavam abertas e a luz da lua cheia entrava na sala, iluminando aquele livro precioso.

Johann Sebastian fechou cuidadosamente a porta atrás de si. Diante do armário ele podia ver o livro lá no alto, bem acima da altura de sua cabeça. Esticou-se todo, mas era muito pequeno!

Olhou ao seu redor. Uma cadeira! Era tudo o que ele precisava! Carregou-a cuidadosamente através da sala e colocou-a na frente do armário em que estavam guardadas as partituras. Então, sem fazer barulho, subiu na cadeira para alcançar a última prateleira. Mesmo na ponta dos pés, aquilo não dava certo. Ele era muito pequeno!

E agora? Ele precisava de algo que pudesse pôr em cima da cadeira. Sobre a escrivaninha de Christoph estava um grande livro de História.

"Justo o que eu precisava!", pensou Johann Sebastian. E foi logo pegá-lo. Colocou o livro sobre a cadeira e subiu. Uma vez mais ele tentou alcançar o precioso livro de música de Christoph. Esticou-se o mais que pôde e, passando suas mãos pela grade, conseguiu finalmente tirá-lo da prateleira.

Com o livro nas mãos, Johann Sebastian desceu. Colocou o livro de História e a cadeira de volta em seus lugares. Segurando firme o livro de música, ele voltou para a segurança de seu quarto.

Com o brilho da lua, ele conseguia ler a música facilmente. Era linda! Ele tinha de aprendê-la. Só restava uma coisa a fazer. Johann pegou sua pena, o tinteiro e folhas de papel e, sob a luz do luar, pôs-se a copiar cada nota.

Pouco antes de o sol nascer, ele escondeu suas preciosas folhas de papel manuscrito embaixo de seu colchão. Relembrando seus passos, desceu novamente a escada e colocou cuidadosamente o livro de Christoph de volta na prateleira.

Christoph nunca saberia...

Exausto, ele subiu as escadas mais uma vez, deitou na cama e caiu no sono.

Parecia que apenas cinco minutos haviam se passado quando Christoph bateu com força na porta.

— Johann, por que você ainda não está de pé? Você vai se atrasar para a escola! Apresse-se!

Naquele dia, Johann Sebastian adormeceu várias vezes em sua carteira. Seu professor chamou-lhe seguidamente a atenção. Johann também cometeu erros enquanto tocava cravo e Christoph também brigou com ele. Mas aguentou firme. Ele tinha seu segredo e ninguém poderia impedi-lo de continuar a copiar aquelas novas notas.

Na noite seguinte, a lua brilhou novamente e Johann Sebastian desceu com muito cuidado para a sala de música. Por seis longos meses, todas as noites, ele trabalhou, subindo e descendo silenciosamente a escada com o precioso livro, copiando todas as milhares de notas. Até que um dia ele terminou.

Assim que colocou o livro de volta na prateleira, pela última vez, ele pulou da cadeira e sorriu.

"Agora é meu! Mal posso esperar para tocar cada música enquanto Christoph estiver fora!" Correu de volta para o quarto e colocou sua cópia embaixo do colchão. Johann dormiu profundamente.

Em uma linda manhã de primavera, depois de tomar seu café, Christoph anunciou:

— Vou à igreja estudar as músicas que tocarei na missa do próximo domingo. Volto em uma hora, mais ou menos.

Johann Sebastian mal podia esperar que ele se fosse. Ouviu a porta da frente se fechar e, depois de esperar por alguns segundos, correu para seu quarto, agarrou suas partituras e voou para a sala de música.

Logo estava sentado ao cravo, seguindo sua própria cópia daquele livro tão especial de Christoph.

Johann estava tão entretido que não ouviu quando a porta da frente se abriu.

Christoph voltou para pegar seu casaco.

Johann quase morreu de susto quando uma voz furiosa esbravejou atrás dele:

— Então você me desobedeceu! Você está usando o meu livro! Devolva-me agora mesmo!

— Não Christoph, este não é o seu livro! Oh, por favor Christoph, eu não o estraguei! De verdade, eu não o estraguei!

— Entendo, você o copiou. Muito bem, agora você saberá o que acontece com garotos desobedientes. Dê a cópia para mim!

— Não Christoph, não a leve! É minha! — lamentou o pobre Johann Sebastian.

Seu irmão mais velho arrancou-lhe a preciosa cópia e saiu bruscamente da sala dizendo:

— Eu não vou tolerar desobediência. Você nunca mais verá este manuscrito! — E saiu batendo a porta.

Johann Sebastian se sentou ao cravo, lágrimas escorriam por suas bochechas. Todo aquele trabalho perdido! Colocou suas mãos no teclado e começou a tocar. Era a primeira peça que ele havia copiado. Lentamente um sorriso apareceu em seu rosto. Ele se sentou melhor e seus dedos voaram sobre todo o teclado.

Agora ele estava gargalhando alto. Lembrava de cada nota que tinha escrito. Toda aquela música estava guardada com segurança em sua memória. Christoph não poderia tirá-la dele jamais. Era sua, para sempre.

Johann Sebastian Bach cresceu e se tornou um dos maiores compositores que o mundo já conheceu. Teve vinte filhos! Quatro deles, assim como ele, tornaram-se músicos famosos. Aqui estão algumas das peças mais famosas que ele compôs:

Música para órgão — Tocata e Fuga em ré menor.

Música para igreja — Missa em si menor — Paixão segundo São Mateus.

Música orquestral — Concertos de Brandenburg

Suíte nº 3, que contém a famosa ária na 4ª corda ou em sol.

Ann Rachlin é uma educadora de música internacionalmente conhecida. Também é escritora, contadora de histórias, letrista, palestrante e fundadora da instituição de caridade The Beethoven Fund, para crianças surdas. Ann atuou em inúmeros festivais internacionais de música e contribuiu com grandes orquestras sinfônicas no Reino Unido, nos EUA e na Austrália.

Susan Hellard é uma hábil ilustradora com uma longa lista de livros para crianças. Mora em Londres e adora nadar. Possui um estilo de ilustração bem diversificado, abrangendo desde princesas até livros de receitas e projetos de cerâmica.